JULIAN TUWIM

LOKOMOTYWA

LOCOMOTIVE

PTASIE RADIO

THE BIRD BROADCAST

RZEPKA

THE TURNIP

Łomianki

Ilustracje do i stanowią pracę dyplomową
w Policealnym Studium Rysunku i Ilustracji LABIRYNT

Tłumaczenie na język angielski opracowano na podstawie edycji z 1939 roku

ISBN 978-83-7565-294-9

Wydawnictwo LTW
ul.Sawickiej 9, Dziekanów Leśny
05-092 Łomianki
tel.fax (022) 751-25-18
http://www.ltw.com.pl
e-mail: wyd@ltw.com.pl

LOKOMOTYWA

LOCOMOTIVE

Stoi na stacji lokomotywa,
Ciężka, ogromna i pot z niej spływa:
Tłusta oliwa.

Stoi i sapie, dyszy i dmucha,
Żar z rozgrzanego jej brzucha bucha:

Buch – jak gorąco!
Uch – jak gorąco!
Puff – jak gorąco!
Uff – jak gorąco!

Here is the engine, black, stupendous,
Dripping with oil, its heat tremendous.
Eager it waits; and its body glows,
While the bursts of steam that it pants and blows,
Seem proud, impatient.

Chuff I'll be off!
Uff I'll be off!
Puff I will!
Uff I will!

Już ledwo sapie, już ledwo zipie,
A jeszcze palacz węgiel w nią sypie.
Wagony do niej podoczepiali
Wielkie i ciężkie, z żelaza, stali,
I pełno ludzi w każdym wagonie,
A w jednym krowy, a w drugim konie,

It gobbles up coal with a ravenous roar,
Though it seems too gorged to burn any more
But soon we are ready: the coaches are fixed.
And also some trucks for goods-all mixed-
Horses, cows, bicycles, umbrellas and chicks

A w trzecim siedzą same grubasy,
Siedzą i jedzą tłuste kiełbasy,
A czwarty wagon pełen bananów,
A w piątym stoi sześć fortepianów,
W szóstym armata – o! jaka wielka!
Pod każdym kołem żelazna belka!

Look at this trio! Each one a glutton,
Eating sausages of partridge and mutton!
And here is a wagon full of bananas
Here is another with 6 shiny pianos;
In the next an enormous gun
With blocks of iron to rest it on;

This contain wardrobes, and tables, too;
And here are some animals off to a zoo.
Another wagon has lovely fat pigs;
In another are parcels and boxes of figs.
Forty wagons! But I've not been told
What the other thirty hold.

W siódmym dębowe stoły i szafy,
W ósmym słoń, niedźwiedź i dwie żyrafy,
W dziewiątym – same tuczone świnie,
W dziesiątym – kufry, paki i skrzynie,
A tych wagonów jest ze czterdzieści,
Sam nie wiem, co się w nich jeszcze mieści.

Lecz choćby przyszło tysiąc atletów
I każdy zjadłby tysiąc kotletów,
I każdy nie wiem jak się wytężał,
To nie udźwigną, taki to ciężar.

They're all so heavy that a thousand men,
As huge and strong as tall Big Ben,
If each one ate a thousand joints,
Could never push them off the points.

Nagle – gwizd!
Nagle – świst!
Para – buch!
Koła – w ruch!

There goes the whistle with its sudden scream,
And now the engine gets up steam
As the wheels turn and the axles creak
With a slow, thin, grinding shriek.
Then bulkily powerfully tugging easily
The train starts to move, whistling breezily.

Najpierw – powoli – jak żółw – ociężale,
Ruszyła – maszyna – po szynach – ospale,
Szarpnęła wagony i ciągnie z mozołem,
I kręci się, kręci się koło za kołem,

Crash! as the wagons are jerked into motion,
Then rumble slowly out of the station.
But, gathering speed, it starts to race,
And dashes ahead at a furious pace,
With the noise of a hundred singing fountains
By bridges and valleys,
through tunnels and mountains,
It rushes away, for it must not be late,
Into the distance faster than fate.

biegu przyspiesza, i gna coraz prędzej,
dudni, i stuka, łomoce i pędzi,
\ dokąd? A dokąd? A dokąd? Na wprost!
'o torze, po torze, po torze, przez most,
'rzez góry, przez tunel, przez pola, przez las,
spieszy się, spieszy, by zdążyć na czas,
)o taktu turkoce i puka, i stuka to:
Tak to to, tak to to, tak to to, tak to to.

Gładko tak, lekko tak toczy się w dal,
Jak gdyby to była piłeczka, nie stal,
Nie ciężka maszyna, zziajana, zdyszana,
Lecz fraszka, igraszka, zabawka blaszana.

I've got to arrive in time, in time,
I've got to arrive in time!
Easily, smoothly, just like a ball,
it rolls downhill, passing us all.
But how does it go? What gives it the powe
To go racing along for hour after hour?

First the hot steam from the boiler and fire,
Passes through pipes to each valve and piston;
The pressure of steam rises higher and higher,
The wheels whizz round and the train flies on.
Can I mount the slope by the dusty pinewood?
I think I can, I think I can! I thought I could,
I thought I could!

skądże to, jakże to, czemu tak gna?
co to to, co to to, kto to tak pcha,
e pędzi, że wali, że bucha buch, buch?
o para gorąca wprawiła to w ruch,
o para, co z kotła rurami do tłoków,
tłoki kołami ruszają z dwóch boków

I gnają, i pchają, i pociąg się toczy,
Bo para te tłoki wciąż tłoczy i tłoczy,
I koła turkocą, i puka, i stuka to:
Tak to to, tak to to, tak to to, tak to to!...

Through the fields and cuttings,
unseen it tears,
Just as a toy train runs under chairs.
And still the wheels sing
with their clashing rhyme,
I've got to be there in time, in time,
I've got to be there in time!

RZEPKA
THE TURNIP

Zasadził dziadek rzepkę w ogrodzie,
Chodził tę rzepkę oglądać co dzień,
Wyrosła rzepka jędrna i krzepka,
Schrupać by rzepkę z kawałkiem chlebka!
Więc ciągnie rzepkę dziadek nieboże,
Ciągnie i ciągnie, wyciągnąć nie może!

Grandfather planted a turnip seed,
And the turnip flourished like a weed–
Plump and round and luscious and sweet,
Nice to look at, good to eat.
So Grandpa went out every day
To see if his turnip ought to stay

Zawołał dziadek na pomoc babcię:
„Ja złapię rzepkę, ty za mnie złap się!"
I biedny dziadek z babcią niebogą
Ciągną i ciągną, wyciągnąć nie mogą.

Babcia za dziadka,
Dziadek za rzepkę,
Oj, przydałby się ktoś na przyczepkę!

And go on growing another night–
Till one fine morn it looked just right!
Just right for the pot!
Juicy and hot!
To be put in a stew!
Oo – ooh!
Grandfather thought of the bubbling stew,
So he pulled at it hard–as wouldn't you?
But alas! the turnip would not move.
So "Grandma," he shouted,
"come here, my love!

Przyleciał wnuczek, babci się złapał,
Poci się, stęka, aż się zasapał!

Wnuczek za babcię,
Babcia za dziadka,
Dziadek za rzepkę,
Oj, przydałby się ktoś na przyczepkę!
Pocą się, sapią, stękają srogo,
Ciągną i ciągną, wyciągnąć nie mogą.

I shall take hold of the turnip top,
You hold me, and we'll soon pull it up."
And they pulled and pulled until they could drop...
But it budged not an inch. It would have to stay
Till further help should come their way.
Then out ran their grandson, little Georgie,
Who saw their fix and took hold of Grannie;
She put her arms round Grandpa again,
And they tugged at the turnip with might and main.

Zawołał wnuczek szczeniaczka Mruczka,
Przyleciał Mruczek i ciągnie wnuczka!

Mruczek za wnuczka,
Wnuczek za babcię,
Babcia za dziadka,
Dziadek za rzepkę,
Oj, przydałby się ktoś na przyczepkę!
Pocą się, sapią, stękają srogo,
Ciągną i ciągną, wyciągnąć nie mogą!

But they needed more help.
Then "Hurrah," cried George,
"Here comes my puppy, here comes Porge!"
Then they all started over again:
Porge tugged at George,
George at Grandma,
Grandma at Grandpa,
Grandpa at the turnip.
But still the turnip stuck in the ground.
So while they rested Porge looked around
To see if further help could be found ...

Na kurkę czyhał kotek w ukryciu,
Zaszczekał Mruczek: „Pomóż nam, Kiciu!"

Kicia za Mruczka,
Mruczek za wnuczka,
Wnuczek za babcię,
Babcia za dziadka,
Dziadek za rzepkę,
Oj, przydałby się ktoś na przyczepkę!
Pocą się, sapią, stękają srogo,
Ciągną i ciągną, wyciągnąć nie mogą!

And there was the family cat, called Lady,
Pretending to stalk a hen named Sadie.
So Porge barked, "Lady, come and pull,
We'll have this turnip out of its hole."
So Lady tugged at Porge,
Porge at George,
George at Grandma,
Grandma at Grandpa,
Grandpa at the turnip.
But still the turnip stuck in the ground,
Though they pulled, and jerked, and grunted,
and frowned.

Więc woła Kicia kurkę z podwórka,
Wnet przyleciała usłużna kurka.

Kurka za Kicię,
Kicia za Mruczka,
Mruczek za wnuczka,
Wnuczek za babcię,
Babcia za dziadka,
Dziadek za rzepkę,
Oj, przydałby się ktoś na przyczepkę!
Pocą się, sapią, stękają srogo,
Ciągną i ciągną, wyciągnąć nie mogą!

Then Lady called to the little red hen,
"Do come and help!" They got ready again–
And Sadie tugged at Lady,
Lady at Porge,
Porge at George,
George at Grandma,
Grandma at Grandpa,
Grandpa at the turnip.
But still the turnip stuck in the ground.

Szła sobie gąska ścieżyną wąską,
Krzyknęła kurka: „Chodź no tu, gąsko!"

Gąska za kurkę,
Kurka za Kicię,
Kicia za Mruczka,
Mruczek za wnuczka,
Wnuczek za babcię,
Babcia za dziadka,
Dziadek za rzepkę,
Oj, przydałby się ktoś na przyczepkę!
Pocą się, sapią, stękają srogo,
Ciągną i ciągną, wyciągnąć nie mogą!

And Sadie the hen said, "I'll be crowned
With a comb as large as a turkey's nest
Before I'll give this turnip best!
Come here, Sissy, you, you goose,
Let's see if together we get it loose."
So Sissy tugged at Sadie,
Sadie at Lady,
Lady at Porge,
Porge at George,
George at Grandma,
Grandma at Grandpa,
Grandpa at the turnip.
But still the turnip stuck in the ground.

Leciał wysoko bocian-długonos,
„Fruń-że tu, boćku, do nas na pomoc!"

Bociek za gąskę,
Gąska za kurkę,
Kurka za Kicię,
Kicia za Mruczka,
Mruczek za wnuczka,
Wnuczek za babcię,
Babcia za dziadka,
Dziadek za rzepkę,
Oj, przydałby się ktoś na przyczepkę!
Pocą się, sapią, stękają srogo,
Ciągną i ciągną, wyciągnąć nie mogą!

Yet in for a penny, in for a pound–
So when they saw that long-legged stork,
They asked Chrissy to do some work.
And Chrissy tugged at Sissy,
Sissy at Sadie,
Sadie at Lady,
Lady at Porge,
Porge at George,
George at Grandma,
Grandma at Grandpa,
Grandpa at the turnip.
But still the turnip stuck in the ground.

Skakała drogą zielona żabka,
Złapała boćka rzadka to gratka!

Żabka za boćka,
Bociek za gąskę,
Gąska za kurkę,
Kurka za Kicię,
Kicia za Mruczka,
Mruczek za wnuczka,
Wnuczek za babcię,
Babcia za dziadka,
Dziadek za rzepkę,
A na przyczepkę
Kawka za żabkę,
Bo na tę rzepkę
Też miała chrapkę.

Then suddenly, with a leap and a bound,
As the stork called out, came Philip Frog,
Who hopped to their help from his floating log.
So Philip tugged at Chrissy,
Chrissy at Sissy,
Sissy at Sadie,
Sadie at Lady,
Lady at Porge,
Porge at George,
George at Grandma,
Grandma at Grandpa,
Grandpa at the turnip,
And Percy the jackdaw joined with Philip–
He liked the look of the juicy turnip.

Tak się zawzięli,
Tak się nadęli,
Że nagle rzepkę
Trrrach!! – wyciągnęli!

All the long string of them pulled and craned
Heaved and jerked and puffed and strained.
A tiring game ...
Oh, what a shame!
Till–ooooh, whumpff!!!
Out it came
With a sudden rush!

Aż wstyd powiedzieć,
Co było dalej!
Wszyscy na siebie
Poupadali:

Oh, what a crush
As they tumbled over
And over and over
And bumped down–flop!
One on top
Of the other!

Rzepka na dziadka,
Dziadek na babcię,
Babcia na wnuczka,
Wnuczek na Mruczka,
Mruczek na Kicię,
Kicia na kurkę,
Kurka na gąskę,
Gąska na boćka,
Bociek na żabkę,
Żabka na kawkę
I na ostatku
Kawka na trawkę.

The turnip sat on Grandpa,
Grandpa on Grandma,
Grandma on George,
George on Porge,
Porge on Lady,
Lady on Sadie,
Sadie on Sissy,
Sissy on Chrissy,
Chrissy on Philip.
But greedy Percy had the worst fall,
For he was squashed beneath them all!

PTASIE
RADIO
THE BIRD
BROADCAST

Halo, halo! Tutaj ptasie radio
w brzozowym gaju,
Nadajemy audycję z ptasiego kraju,
Proszę, niech każdy nastawi aparat,
Bo sfrunęły się ptaszki dla odbycia narad:

Hullo, this is the Broadcast from the Birchwood Grove!
A running commentary from the land of the birds,
Who are met together on important matters
And give you the chance to hear their words.

Po pierwsze – w sprawie,
Co świtem piszczy w trawie?
Po drugie – gdzie się
Ukrywa echo w lesie?
Po trzecie – kto się
Ma pierwszy kąpać w rosie?
Po czwarte – jak
Poznać, kto ptak,
A kto nie ptak?

A po piąte przez dziesiąte
Będą ćwierkać, świstać, kwilić,
Pitpilitać i pimpilić

Now, first, to find what is this noise
That rustles the grass at early dawn;
Who shall bathe first in the morning dew
Sparkling upon the summer lawn;
Next, and most important of all,
Where in these woods the echo hides
That reproduces all our songs
Quite incorrectly, and besides
Never pays us a single mite,
although we own the copyright
Before you listen to the meeting

Ptaszki następujące:
Słowik, wróbel, kos, jaskółka,
Kogut, dzięcioł, gil, kukułka,
Szczygieł, sowa, kruk, czubatka,
Drozd, sikora i dzierlatka,
Kaczka, gąska, jemiołuszka,
Dudek, trznadel, pośmieciuszka,
Wilga, zięba, bocian, szpak
Oraz każdy inny ptak.

Here is a list of who will be talking;
These are the names of the famous birds
At present chirping, warbling and squawking.
The nightingale, blackbird, the owl, the sparrow,
The cock, the woodpecker, the crow, the swallow,
The robin, the thrush, the titmouse, the bullfinch,
The duck, the goose, and the lovely goldfinch,
The yellowhammer, the quail, and the crested lark,
The golden canary, and the long-legged stork,
Also the brambling and the mischievous starling.

Pierwszy – słowik
Zaczął tak:
„Halo! O, halo lo lo lo lo!
Tu tu tu tu tu tu tu
Radio, radijo, dijo, ijo, ijo
Tijo, trijo, tru lu lu lu lu
Pio pio pijo lo lo lo lo lo
Plo plo plo plo plo halo!"

Here is the nightingale! Listen now!
We give the microphone to him. "Hallo!
Hallo allo allo allo
Trilloo trilloo trilloo
Radio adio dio adio
Tralio ralio rilloo trilloo
Radio, hallo, radio,
Hallo, hallo, hallo!"

Na to wróbel zaterlikał:
„Cóż to znowu za muzyka?
Muszę zajrzeć do słownika,
By zrozumieć śpiew słowika.

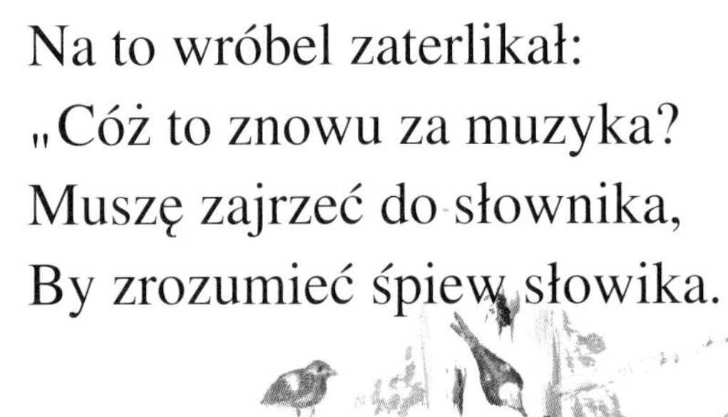

Ćwir ćwir świrk!
Świr świr ćwirk!
Tu nie teatr
Ani cyrk!

Now the sparrow! He's interrupting!
"What does this gentleman think he's saying?
Oh, tweet, tweet, tweet! Oh, my word,
I don't understand the bird!

Oh, cheep cheep cheep cheep cheep!
Give me a dictionary! I must look
Into some silly, stuffy book
To understand this song. Do you know,
I believe he thinks that he's Caruso!

Patrzcie go! Nastroszył piórka!
I wydziera się jak kurka!
Dość tych arii, dość tych liryk!
Ćwir ćwir czyrik,
Czyr czyr ćwirik!"

Preening his feathers! He's not on the stage!
A disgrace, cheep cheep, an absolute outrage!
Cheep, oh, cheep cheep cheep
Cheep! Chee – eep!"
The sparrow twitters and chatters away
Till up starts the cockerel! What will he say?

I tak zaczął ćwirzyć, ćwikać,
Ćwierkać, czyrkać, czykczyrikać,
Że aż kogut na patyku
Zapiał gniewnie: „Kukuryku!"
Jak usłyszy to kukułka,
Wrzaśnie: „A to co za spółka?
Kuku–ryku? Kuku–ryku?
Nie pozwalam, rozbójniku!

He is very angry, swishing his tail,
At this rudeness to the nightingale.
He seems most annoyed. What will he do?
"Cock-cock-cock-a-doodle-doo!"
Up jumps the cuckoo! Now he's angry, too!"
Cuckoo cuckoo cuckoo, sir, and who
Are you, you copy-cat, you loafer, you?
How dare you sing my song, cuckoo, cuckoo!
Crow if you like, but don't you cuckoo!
Cuckoo is my song, cuckoo, cuckoo!"

Bierz, co chcesz, bo ja nie skąpię,
Ale kuku nie ustąpię.
Ryku – choć do jutra skrzecz!
Ale kuku – moja rzecz!"
Zakukała: kuku! kuku!

The cuckoo repeats: "Cuckoo, cuckoo!"
The woodpecker answers: "Peck-you, peck-you!"
Now the lapwing is speaking. "Peewit, peewit,
Where have you been? What have you seen?
What are you doing? What are you eating?
Where are you going? Whom are you meeting?"

Na to dzięcioł: stuku! puku!
Czajka woła: czyjaś ty, czyjaś?
Byłaś gdzie? Piłaś co? Piłaś, to wyłaź!
Przepióreczka: chodź tu! Pójdź tu!
Masz co? Daj mi! Rzuć tu! Rzuć tu!

Now the quail whistles: "Come here, hey!
What have you there ? Stop it, I say!"
Now they're all twittering! What a row!
No one can hear what's happening now!
"Let it go!" "Give it to me,
Give it to me!" "Let me see!"

I od razu wszystkie ptaki
W szczebiot, w świegot, w zgiełk o, taki:
„Daj tu! Rzuć tu! Co masz? Wiórek?
Piórko? Ziarnko? Korek? Sznurek?

Pójdź tu, rzuć tu! Ja ćwierć i ty ćwierć!
Lepię gniazdko, przylep to, przytwierdź!
Widzisz go! Nie dam ci! Moje! Czyje?
Gniazdko ci wiję, wiję, wiję!
Nie dasz mi? Takiś ty?
Wstydź się, wstydź się!"
I wszystkie ptaki zaczęły bić się.

"What have you got? A feather? A crumb?
A twig ? A fly ? A straw ? A worm ?"
"I want half, give me half!" "I'll build a nest
"Go awa y, all of it's mine!" "My song is bes
"No! Yes! Straw! Twig! Best!
Worst! Wrong! Right! Wrong! Right!"
Oh, my goodness, now there's a fight!

Przyfrunęła ptasia milicja
I tak się skończyła ta leśna audycja.

Here come the police to take them away
And bring to an end the birds' relay!

Dochody Fundacji im. Juliana Tuwima i Ireny Tuwim pochodzą jedynie z honorariów z tytułu praw autorskich do dzieł jej Patronów i przeznaczone są w całości na pomoc dzieciom niepełnosprawnym i na popularyzację twórczości obojga Autorów.

www.Tuwim.org